총몽 화성전기 1

GUNNM MARS CHRONICLE

기시로 유키토 만화
주원일 옮김

총몽 화성전기
GUNNM MARS CHRONICLE
기시로 유키토 만화
1
주원일 옮김
GAS UND STROM
문학동네

GUNNM MARS CHRONICLE

PRESENTED by YUKITO KISHIRO

CONTENTS

LOG:001

화성의 고아

005

(『이브닝』 2014년 22호)

LOG:002

소녀들

037

(『이브닝』 2014년 24호, 2015년 1호)

LOG:003

무언병단

069

(『이브닝』 2015년 2호, 3호)

LOG:004

탈출

101

(『이브닝』 2015년 4호, 5호)

LOG:005

난민가도

133

(『이브닝』 2015년 6호, 7호)

LOG:006

천개(天蓋)의 사명

165

(『이브닝』 2015년 9호, 10호)

STAFF

기시로 쓰토무 / 기나리 에미야

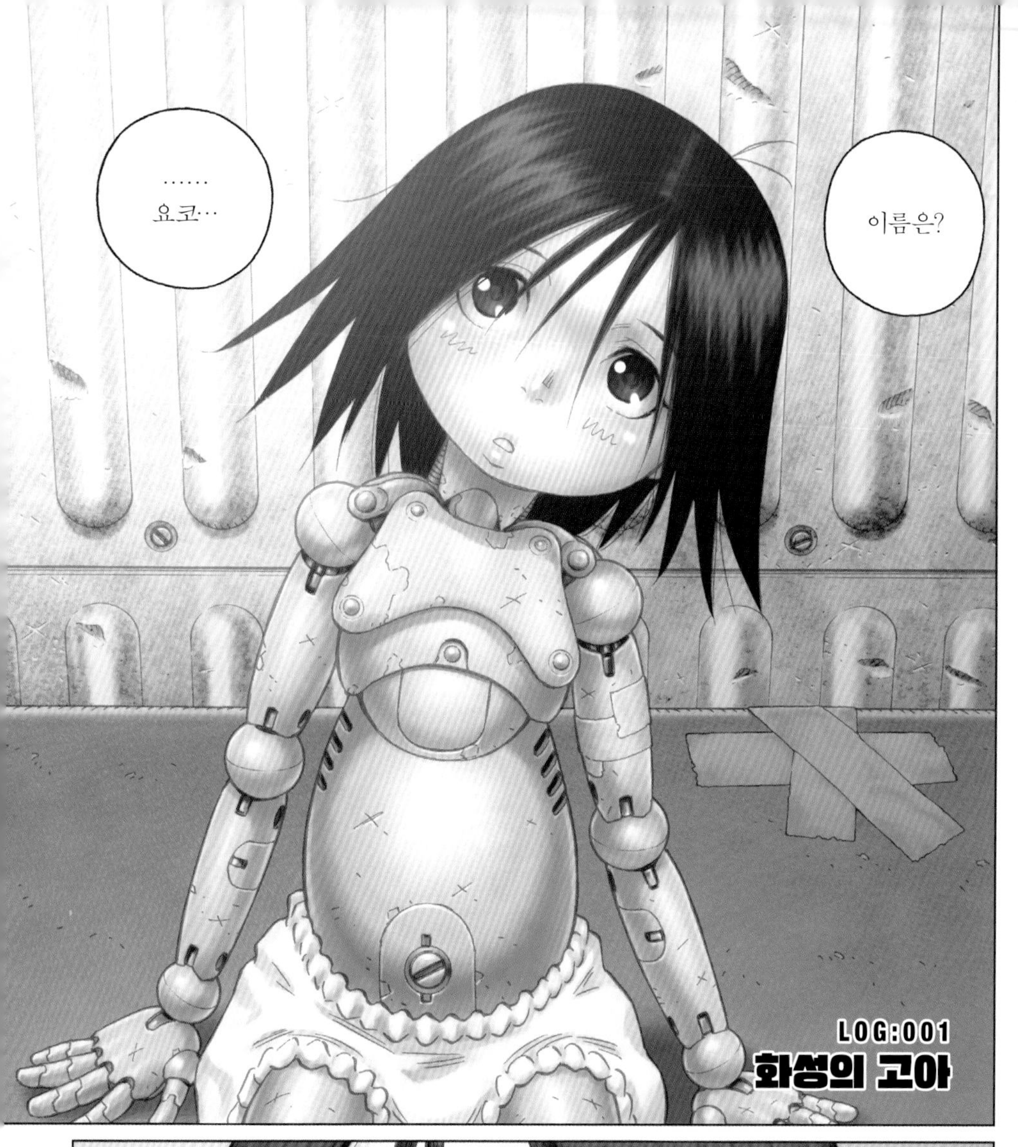
이름은?
……
요코…
LOG:001
화성의 고아

엄마아빠 이름은 아니?
……
……
집은 어디야?

LOG:001
화성의 고아

나는 에리카 발트.
집은 퀴리 슈타트, 푸르푸른가(街) 8-18!
가족은 요한이랑 마리타랑 허시!
허시는 동생이니?
허시는 개야! 커다란 개!

에리카는 똑똑하구나.
아저씨는? 의사 선생님이야?
나는 핀치.
이 근처 마을을 돌면서 진찰하는 의사란다.

여기는 '마미아나'라는 작은 마을이야.
맡아줄 사람이 나타날 때까지 너희는 여기서 살게 될 게야.

요코
좀 봐줘.
갠 제대로
걷지 못하거든!
흠… 보디의
기능에는
별다른 문제가
없는 것
같은데.
아마 기계 보디에
익숙하지 않은 게
문제인가보구나.
이대로는
불편할
테니까
보행보조
리모컨을
달아주마.
중요한 건
열심히 연습해서
하루라도 빨리
리모컨 없이도
걸을 수 있게
되는 거란다.
이게 있으면
몇 가지
기본동작
프로그램을
실행할 수
있거든.
UP
DOWN
ADVANCE
BACK
RIGHT TURN
OR
LEFT TURN
잘됐다,
요코!

저곳이
너희를 돌봐줄
고아원이야.
너희 같은
전쟁고아가
많이 살고 있지.

퀴리는
시도니아령이라
WAND
반트(격벽)를
넘어가야 하니
당장은
무리지만.
어떻게
해서든
너희 부모님께
연락을
해주마.

왜냐하면
아빠랑 엄마는
허시랑 같이
죽어버렸거든!

DOKTOR
독토어
(의사)는
친절한
어른
이구나!
하지만
그건
무리야.

여기서 생활하고 싶으면 규칙을 잘 지켜야 한다!
비누는 아껴서 1년 동안 쓸 것!!
쿠웅
쿠웅
뒤뚱
삑
뒤뚱
삑
뒤뚱
삑
재 좀 봐, 걷는 게 왜 저런대?
키득
키득
꼭 로봇 같은데?
모르는 게 있으면 연장자인 니논한테 물어보거라.
이 아이들을 잘 돌봐주렴, 니논.
네, 원장 선생님!!

사이좋게 지내야 한다, 아기돼지들아!!
고고고
반가워.
나는 니논 질버라고 해!
사정이 있어서 지금은 이런 시설에 있지만,
나는 알트 노인(ALT NEUN)(9대 시조)의 피를 이은 플라마리온공(公) 질버가(家)의 먼 친척이야!
잘 부탁해! 나는 에리카고
이 아이는…
요코…

저기, 몸은 어떻게 되어 있는 거야?
우왓, 전부 기계잖아, 으스스해!
앗! 이건 뭐지?!

꺄하하! 무선 조종기네!!
아으으.
나도 해볼래!!

돌려줘!!
아얏!

때렸어! 재가 날 때렸다고!
후훗.

요코를 괴롭히는 녀석은
내가 용서 안 할 거야!!

소등!!
요코…
벌써 자?

쿨………..

꺄?!
부스럭 부스럭

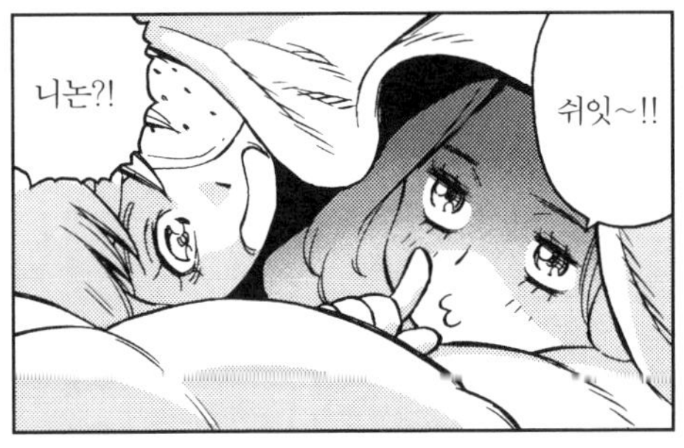
니논?!
쉬잇~!!

짓궂은 아이들뿐 이지만…
강제로 지뢰밭 걷는 것보단 훨씬 나아…

잠깐 둘이서만
얘기를
하고 싶었거든.

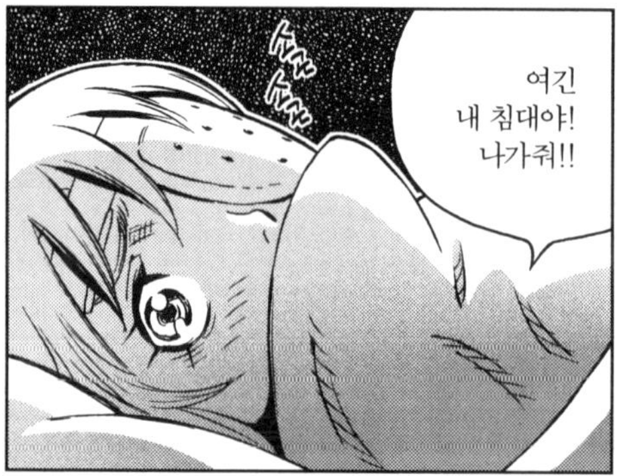
여긴
내 침대야!
나가줘!!

뭐…?!
게다가 난…
네가 마음에
들어.

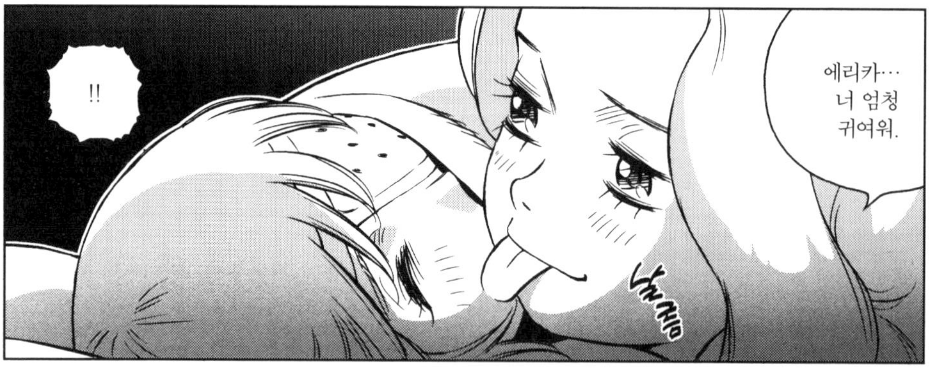
!!
에리카…
너 엄청
귀여워.
낼름

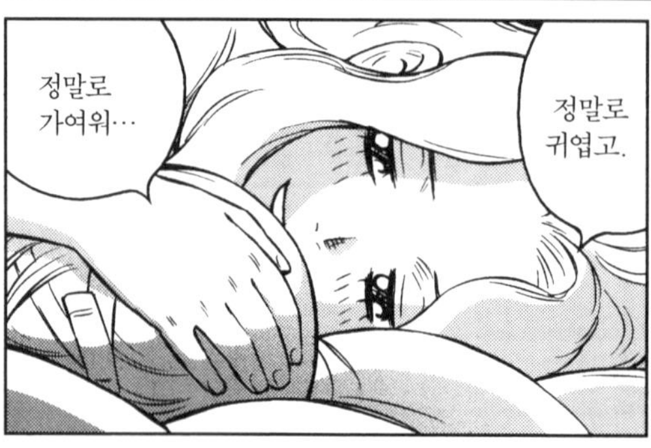
정말로
가여워…
정말로
귀엽고.

아야…
아프니까
그만…
낼름
낼름

네가 저 안쓰러운
요코 옆에 찰싹
붙어 있는 기분…
나는
이해할 수
있어.

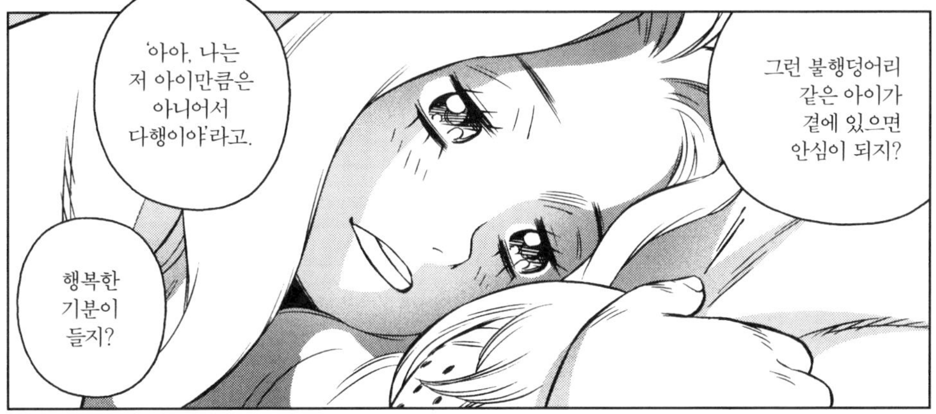
그런 불행덩어리
같은 아이가
곁에 있으면
안심이 되지?
'아아, 나는
저 아이만큼은
아니어서
다행이야'라고.
행복한
기분이
들지?

괜찮아, 에리카.
너는 조금도
나쁘지 않아.
그건 세상의
진실일
뿐이니까.

그렇지
않…
쉿!!

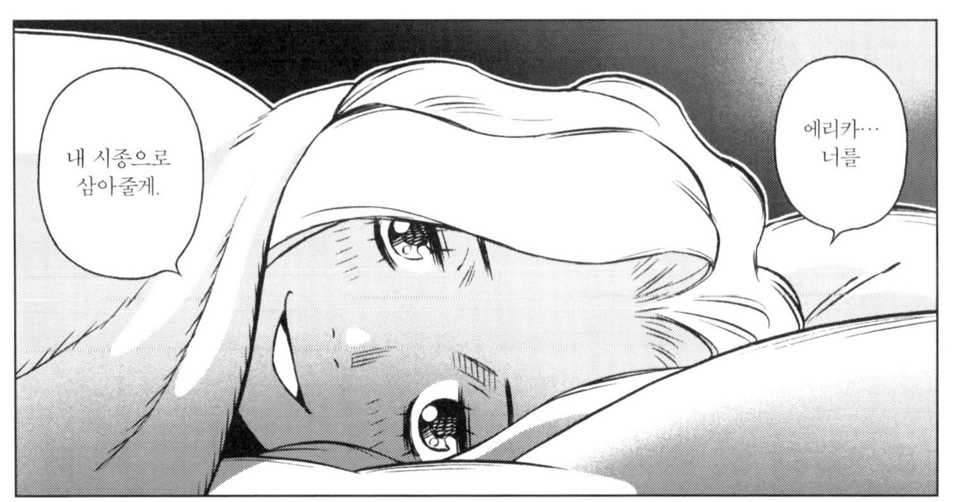
에리카…
너를
내 시종으로
삼아줄게.

우리는 언젠가
어른이 될 거야.
너도 나도 이런
먼지만 날리는
촌구석에서 생을
마쳐선 안 돼.

어른… 나도
어른이 될 수
있을까…

난 언젠가
하이힐이
잘 어울리는
어른이
될 거야.
그리고
화성의 여왕님이
되어야지!

화성의 여왕이 돼서
백년이나 이어진
전쟁을 끝내겠어.
그리고 우리를
딱한 눈빛으로
바라보던 어른들을
짓밟아주는 거지!!
DIE KÖNIGIN VON MARS

니논은
엄청난 생각을
하는구나…

생각?
아냐.
이건
내 생각이
아니야.

이건
내 운명.
신께서
정하신
운명이지.
난 그저 그걸
알고 있을 뿐…

내일
환영회를
열 거야.
어때…?
내 말을 듣는다면
평생 너를
내 곁에 둘게…

……
……
쿨

잘 자렴.

ACIDALA SAND SEE (void)
SKLODOWSKA
CYDONIA
MAGINI
CASSINI
ARABIA
CURIE
GILL
BECQUEREL
MCLAUGHLIN
TROUVELOT
KROMMELIN
TEMPE TAL
KASEI KLAMM
XANTE
SHALBATANE KLAMM
SIMUD KLAMM
ARES KLAMM
GALILAEI
MERIDIANI
지금으로부터 약 140년 전, 우리의 선조가 지구에서 이 별로 이주했어요.
그럼 우리가 사는 화성은 태양계의 몇 번째 행성이지?
LOOK
MARS
첫번째요!
일곱번째!
까하하하
에리카!
태양계 제4행성이에요.
에리카, 똑똑해…
에헤헤.

오늘은 너희를 환영하려고 모두가 선물을 준비했어!
대단한 건 아니지만… 기뻐해주면 좋겠네.
마음껏 먹어!
꼼지락
꼼지락

사양하지
않아도 돼.
굼벵이처럼
느려터진 요코한테
네가 스푼으로
떠먹여주렴.

쿡쿡.
?!
우후
후.
꽈악

어제 저녁에
약속했잖니,
에리카…
내 시종이
되겠다고!
어…
어…?!
평생
내 말을
듣겠다고!

에리카…
약속…
했어?

약속
같은 거…
한 적 없어…
야…
굳이
거짓말할
필요 없어,
에리카.
꼴사나운 요코보다
나, 니논이 너와
어울리는
사람일 뿐이야.
너는 조금도
나쁘지
않으니까.
자!
요코한테
떠먹여줘!!

자,
앙~ 해봐,
요코.
쿡쿡.

히잉

뽀득…
거짓말쟁이는 너야!!
꺄아!!
우웨엑!!

파약 파약
파약
파약
파약
아윽!

픽
픽 픽

헉, 헉.
정말 고집이 센 아이네.

오늘은
이 정도로
넘어가줄게.
꾸욱…
으윽
…
미래의
여왕님인지
지저분한
로봇인지…
네게
어느 쪽이 득인지
잘 생각해
보도록 해!
나는 아직
포기하지
않았어.
샤칵
그리고.
홱

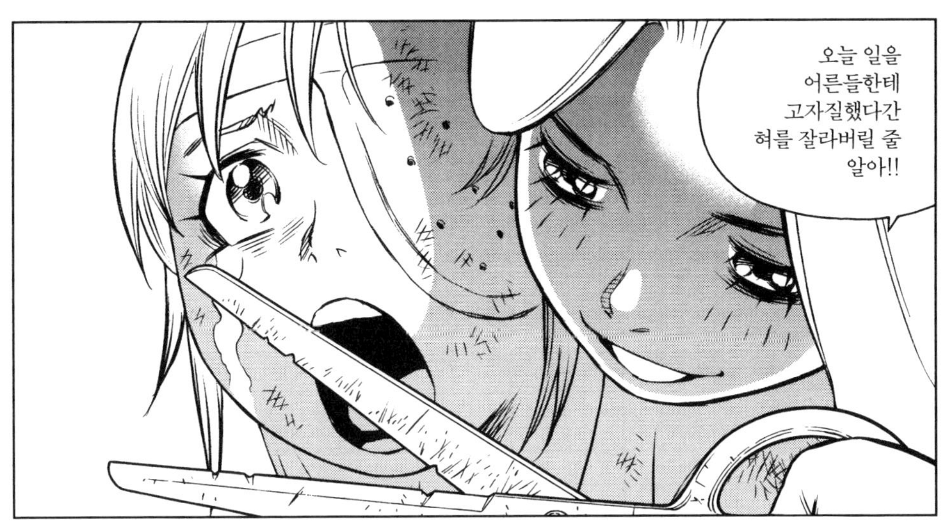
오늘 일을
어른들한테
고자질했다간
혀를 잘라버릴 줄
알아!!

아하하하하 하

으으…
뚝
뚝

이… 이 정도는
아무렇지 않아…

벌레들이
불쌍해…
그…
그래.
그쪽이었구나

저쪽에
우주선이
보이지?

* 북벌 : 정식명칭은 '화성북극분쟁'. 우주해적이 화성 북극에 기지를 건설하려는 동향을 보이자 화성의 여러 세력과 우주해적단 사이에서 발생한 전투. es.361~363 까지 네 차례 발발했으며 전부 화성측이 압승했다.

왜애――앵
'철안의 몰탄'.
제법 실력있는 녀석이었는데… 설마 이런 곳에 시체로 나뒹굴고 있을 줄은 몰랐네~ 하하핫.
그 이야기는 처음 듣는데, 키힛.
치… 친한 사이였어, 다스?!
아니, 딱히.
이놈들은 KÜNSTLER 퀸스틀러 기갑술사 (機甲術使)가 죽였다고 하던데…
그륀탈이 이 일에 관여하고 있다면 나는 손을 떼겠어.
아이고~ 성격도 급하셔라… 지금 조사하고 있으니까 잠깐만 기다려봐.
오, 나왔다.

몰탄의 시각 메모리에서 추출한 화상과 조합해보면… 몰탄을 죽인 부대와 같다고 봐도 틀리지 않겠지.
MODELL : FALTER
NUMMER : GTRK030
GRÜNTAL-PANZERKUNST
ROLLKOMMANDO
같은 날에 마지니 슈타트에서 퀸스틀러가 작전중 이었어.
흠… 왠지 영 석연찮은데.
정보를 종합해보면… 퀸스틀러가 작전에서 귀환하다가 우연찮게 몰탄의 부대를 보고 죽였다는 게 되는데…
세상에 아무 이득도 없이 그런 짓을 할 녀석이 어디에 있지?
뭔가 사정이 있는 게 분명해.

키힛. 이… 이 일은 수상한 냄새가 나.
어쩐지 너무 날로 먹는 이야기다 싶더라니.

어쩌지? 나도 솔직히 퀸스틀러 같은 족속들이랑은 얽히고 싶지 않거든.
손뗄까?!

…아니.

적의 모습을 제대로 확인한 후에 물러나도 늦진 않아.
조금만 더 추적해보자.

퀸스틀러는 아이들을 보호시설에 인도한 후에 귀환…
아이들은 남녀를 나눠 자자키와 마미아나의 고아원으로 이송되었다는군.

그래서 …?

: YOHKO
CHLECHT : ♀
우리의 사냥감은 어느 쪽으로 갔지?

LOG:002
소녀들
에리카. 요코.
어제는 정말 미안했어.
이번에는 또 무슨 꿍꿍이야?!
웃기시네!
사과의 의미로 오늘은 내 비밀 궁전에 초대할게!
꿍꿍이라니… 나는 화해하고 싶을 뿐이야.
궁전에는 젤리랑 초콜릿도 있어.
!!
젤리랑 초콜릿!!
후후… 애들이 다 똑같지.

LOG:002 소녀들

지나가는 김에 마미아나 마을을 안내해줄게.
아무것도 없는 작은 마을이지만!
GAS UND STROM
GAS

우왓, 예쁜 호수다아!
이건 눈물 연못이야.
엄청 깊으니까 원장 선생님이 허락하실 때 말고는 들어가면 안 돼.
ETHNARCH
에트나르크(호국천사)의 눈물이 떨어진 연못이라고 하더라.
에…트나… 라는 게 뭐야?
JINN
『아홉 왕과 화성의 진(정령)』 이야기를 모르나보구나?
그럼 나중에 그림책을 읽어줄게.
이건 파워 스탠드.
기계를 움직이는 동력인 메탄가스나 전기를 파는 곳이야.
GAS
와~ 멍멍이다~

HALT
할트(멈춰)!!
부릅
크르르르
컹컹컹!
크르르르
여기 주인인 피어스 씨랑 기르는 개인 가름은 애들을 싫어하거든!
안에 잘못 들어갔다간 개를 풀어놓을 거야!
저긴 낙타의 집이야. 이 마을에 하나뿐인 민박집 겸 술집이지.
아이들과는 상관없는 장소지만.
주인 마르가 씨는 상냥한 분이라서 가끔 파이를 나눠주시곤 해.
KAMEL HAUS

철커덕
철커덕
안녕하세요,
이본 씨,
키퍼 씨.

철커덕
안녕하…세요.
니논 공주님.
아…
아…

저분들은
예전에 수많은
훈장을 받은
군인이었대.
지금은
하루하루
산책하는 게
일과지.

이 마을에는
노인밖에
없구나.
젊은
어른들은
다들 군대로
가버렸거든.

그러고 보니
펀치 선생님은
어디에
사는 거지?

독토어한테는
집이 없다고
들었어.
진료용 차에서
숙식하면서
이 근처 마을들을
주기적으로 돌며
사람들을 봐준대…
아마 사흘쯤 후에
다시 오실 거야.

이 커다란
건물은 뭐야?
마미아나
양수 펌프장이야.
북쪽에서
만들어진 물을
남쪽 농지로
보내는
시설이지.

발밑을
조심하렴.

마음대로
들어가도 돼?
안 혼나?
괜찮아.

어서 와!!
여기가
내 비밀 궁전
이야!!

* 위자보드(Ouija board) : 강령술 놀이를 하기 위한 문자판. 서양식 분신사바라고 할 수 있다. 시초는 1892년에 미국에서 발매된 점술 게임이다.

레나는
벌을
받고 있어.
훌쩍
용서해
주세요,
니논 님.

에리카도
할래?
어제 이 아이가
내 명령을
기다리지 않고
너를 빗자루로
때렸잖아.

크흐흐,
어떠냐~
어때~
꺄하하!
그, 그만!!

괜찮아?
고…
고마워.

스르륵
네가 그렇게
말한다면야…
내려줘!!
척

그림책
읽어줘.
아, 약속을
했었지.

옛날옛날
아주 먼 옛날,
최초의 인간이
태어나기보다도
훨씬 먼 옛날에…
Neun Könige
und der
Jinn von Mars

심술궂고…
잔혹하다고 생각했는데
자상하고 의지가 돼…
역시 여왕님이 될
아이는…
보통 사람과
다르구나…

신은 불과
연기를 써서
화성에 진들을
만들었답니다.
두근
두근

진은 눈에 보이지 않는
정령으로, 마법을 씁니다.

그런 진들이
사는 화성에
어느 날,
지구에서 하우네부라는
우주선을 타고
아홉 명의 왕이
찾아왔답니다…
휘우우우
우우우

잠깐 실례~!!
콰아아앙

쿵
다, 당신들은 뭐죠?!
어이쿠~ 떠들지는 마시고. 귀찮은 일은 질색이거든.
성큼
성큼
꺄아아아

얼마 전에 이런 애가 이 고아원에 오지 않았나?
우리한테 넘겨 주실까.

보… 보호자는 아니신 것 같은데…
이 아이를 어떻게 하려고요?!

난 애들을 너무너무
싫어하니까 총알을
잔뜩 쑤셔박아
조용히 만든 후에
데리고 갈 생각이야.
우리는 '어느 분'의
의뢰로 이 아이를
찾고 있거든.
와하하!
생사 여부는
묻지 않을 테니…
데려만 오면
된다고 하시더군.
YOHKO
흐득
흐득
크헷, 으아~
침 냄새,
젖비린내!
으아아앙!
귀신
이다
아아
전원 정렬!!
콰아앙
빠어엉
움찔

팬티!
내려~!!

훌쩍 훌쩍
덜덜

뭐야…
다들 달려 있잖아…
어린이 사이보그도 없고 말이지, 히힛.

다스… 정말로 여기가 맞나?

잠깐만~ 이상하네… 여아는 자자키 고아원으로 이송되었다고…

자자키 고아원은 남아 전용 입니다만…

WILLKOMMEN
WELCOME
SASAKI
ZAZAKI TOWN
佐々木酒店
바로 근처 ←
LADEN
Sicherheit!
Vertrauen!
뭐라고?!

쿠궁……!!
후두둑
후두둑
무슨 일
일까?
원장 선생님이
방귀라도
뀐 거 아냐?
우르르
우르르
아하하하!
울라노바.
잠깐
보고 오렴.
네,
니논 님~
내 카드
보면 안 돼,
제마!
으히히,
안 본다
니까.
아, 짜증나,
대체 무슨
일이야!

땅 땅
땅 땅
GAS UND STROM
GAS
부우웅
부우웅-
부우웅

수우응

샤약
쿵쿵쿵
뷰아앙
텅
텅
텅

쾅
쾅
콰앙

큰일이야…
마을이…
HEUSCHRECKEN
호이슈레켄
(메뚜기병)한테
공격당하고 있어!!

어째서,
어째서,
어째서…
샥
샥
샥
모라!
이런 때에
위자보드나
하고 있으면
어떡해—!!
뭐라고?!
영혼이
돌아가주지
않아아아!!

와르르르

도망치렴,
아기돼지들
아아아!!
기이이이—잉
파골골—
쾅

원장
선생님이랑
치치가…

죽었어—!!

후드드득
철커덕
철커덕

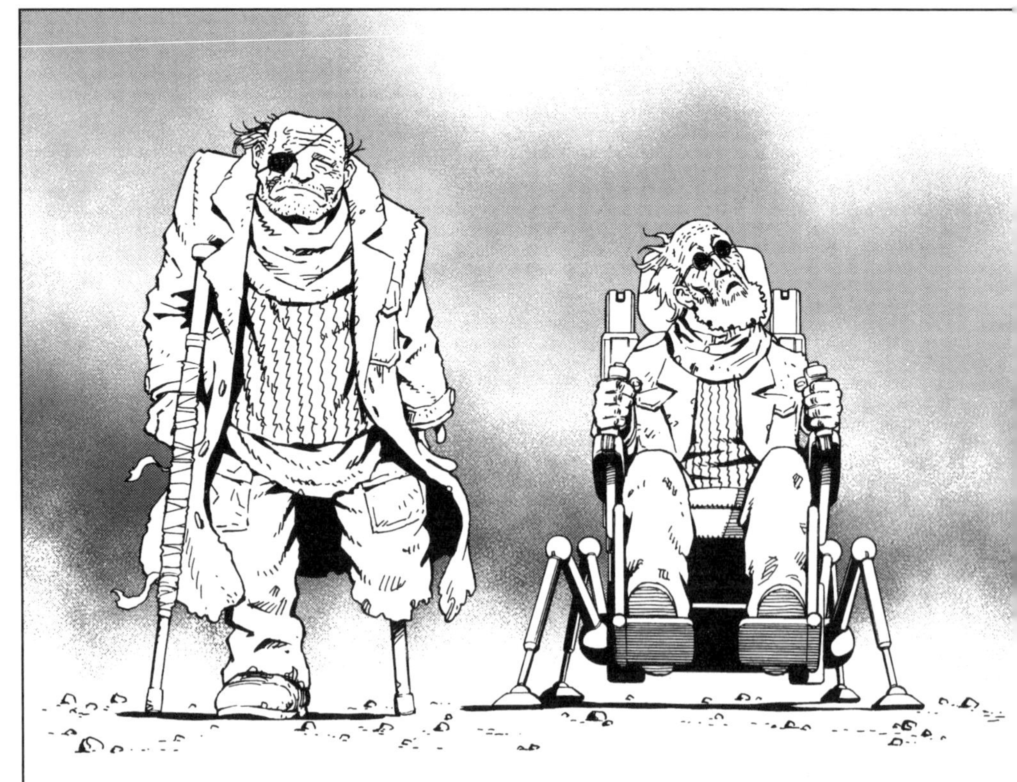

처억
타다다
타
타타
타타
타
타탕

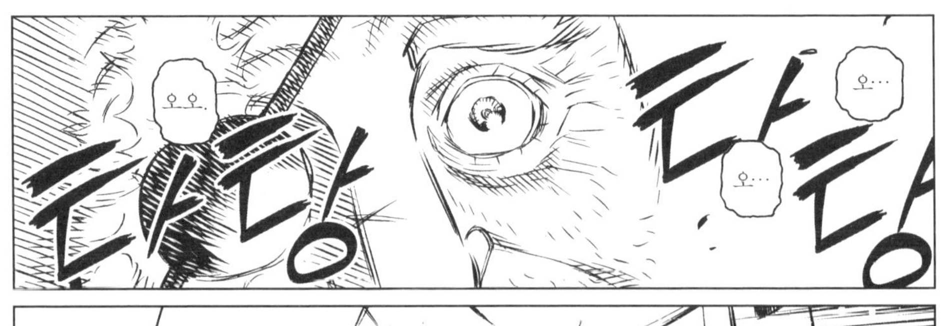
오오
타당
오…
오…
타당

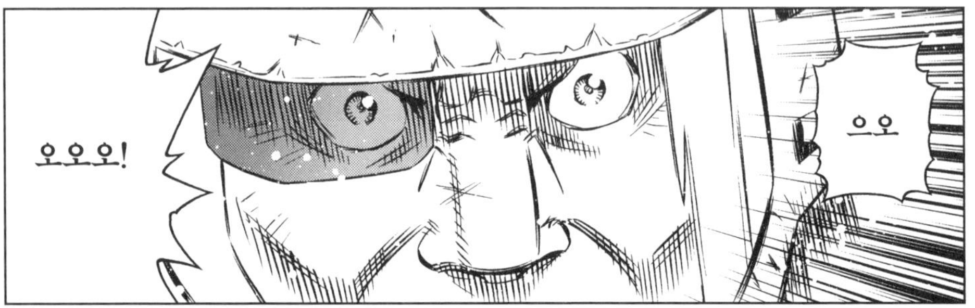
오오
오오오!

키퍼! 계속 쏘면서 움직여!
엔초, 그라함, 야코다는 오른쪽으로 우회!
라인즈와 루니는 나를 따르라!!

우리가
최후의
방어선이다!
호에 있는
아이들을 반드시
지켜내야 한다!!
으오오오!

이본이랑
키퍼
할아버지가
호이슈레켄을
둘이나
물리쳤어!!

아하하!
전부 도망치고
있어!!

호이
슈레켄은
정찰병
이야…
방심하면
안 돼.
나중에
본대가
올 거야.

털
썩

헉
헉
헉
헉

부…
부대원들은
들어라,
적의 반격에
대비하라…
헉
헉
라인즈… 루니…
어디로 갔나.
키퍼…
응답하라…

다들…
나를 두고
가지 마…

콰앙

고고고

ユユユユ

쿠르 르 릉

LOG:003
무인병단
쿠르 르 릉

LOG:003
무언병단
끼리릭

찬아——앗

울라노바!
대체 무슨 일
이야?!
야!
울라!
장난 좀
치지 마!
콜록
콜록.
다들…
괜찮아?!
귀…
귀가…

철벅
꺄아아아아아!
제마!
후다닥
싫어어어!!
밖으로 나가면 안 돼, 제마!!

미안해요,
미안해요.
이젠 장난
안 칠게요…

퍼
퍼
퍼
퍼
퍼
퍼
퍽

엄마…
털썩

파아

주위에 숨을 장소도
없으니까…
나가자마자
벌집이 되어
버릴 거야.

싫어…
우리 다 여기서
죽는 거야?
싫어…
제마나
울라노바처럼
…!!

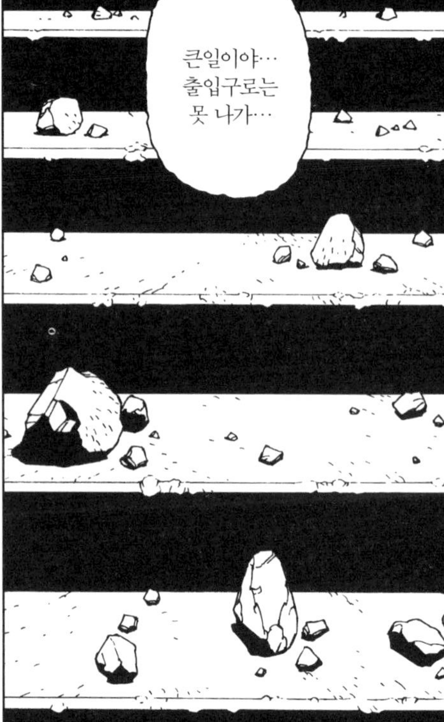
큰일이야…
출입구로는
못 나가…

싫어…!
싫다고…
난 죽고 싶지
않아…!!
누가… 누가
좀 구해줘…!!

여… 여기에
가만히
숨어 있으면
안전해…!
분명 군인들은
눈치채지 못하고
그대로 지나칠 거야…
확실해!

봐! 영혼도
JA
'야(그래)'라고
말하고
있잖아!!
JA

니논,
저기는?

저쪽에 있는
문으로는
못 도망쳐?

저건 수로로 나가는 문인데…
그러네… 수로를 건너가면 뒤쪽 낭떠러지의 비상계단으로 내려가서 도망칠 수 있을지도…

하지만 저 문은 안 열려.
어째서?

수압이라고 아니?
문 바깥쪽에는 물이 흐르고 있어서
수문을 닫아 물의 흐름을 멈추지 않는 이상 이쪽에서는 열 수가 없어.

흐음~

에… 에리카, 넌 어쩜 그렇게 침착해?!
안 무서워?!

나도 무서워…

하지만 여기서
울고만 있으면
정말로 죽게 되잖아!
살아남을
방법을
생각해야지!!

뭐야, 너희들
내 얘기
안 들었어?!
여기에 있으면
안전하다니까!!

아니…
에리카의
말이 맞아.
나도
여기에 있는 건
위험하다고
생각해.

아마 군대의
목적은 이 양수
펌프장일
거야.
여기에
있어봐야 금세
들키겠지.

저기!
이 구멍에서
물 흐르는
소리가 들려!!
여기에서
수로로 나갈 수
있지 않을까?!

통기구라…
이 크기라면
나는 지나갈 수
없겠어…
쏴아아
하지만 누군가가
여기를 통과해서
수문을 닫으면
저 문으로 나갈 수
있을지도 몰라!

그럼
내가 가서
수문을
닫고 올게!!

으으으!!
버둥 버둥
에리카
한테도
무리구나…

우리 중에
제일 작은
사람은…

?

영차.
영차.
꿈틀
꿈틀

꿈틀
꿈틀
제정신이야,
나는?!

안 돼!
절대 안 돼!!
요코한테는
무리라니까!!
에리카…
나…
할래.
요코…!
안 된다니까,
위험해!!
에리카! 확실히
어린아이한테
시키기에는
위험한
일이지만…
이대로 아무것도
하지 않으면
다 죽게
되거든?!
그… 그건
그렇지만…

괜찮아.
요코는
할 수 있어.
너는 네 다리로
어디까지든
걸어갈 수 있어.
너 자신을
믿기만 한다면
어디까지든?
어디까지든…
그리고 네가
원하기만 한다면…

누구보다도
멀리까지
갈 수 있어.
아
아

쏴 아 아

샤아아아
영차.
영차.
?!
덜컥
끙
으응~
끙
찌직
자랑
자랑
퐁당

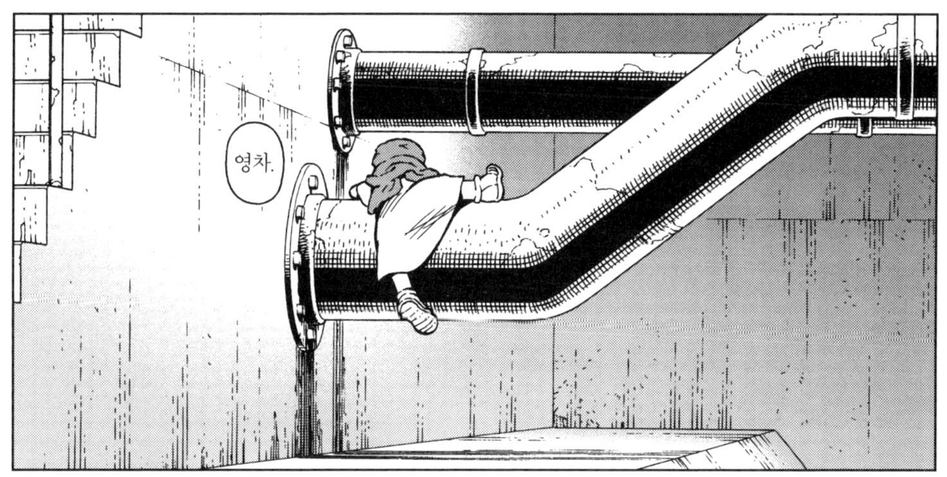
영차.

수문 조작패널

……

리모컨…
잃어버렸어…
글썽…

너는 네 다리로
어디까지든
걸어갈 수 있어…

슥
슥

아…

비틀
비틀
비틀
비틀

아아, 걱정돼 죽겠네!!
역시 요코한테는 무리야!!

걘 눈만 떼면 금세 미아가 되어 버리니까.
옷도 뒤집어서 입는데다
아직도 오른쪽 왼쪽 신발도 구분 못 한다고!!

다들 탈출할 준비해!
신발 신고 모포를 두르고
주머니에 과자를 최대한 많이 담아!

모라, 내 말 안 들려?! 위자보드 그만하고 준비하라니까!!

나… 나는 안 갈 거야 …
게다가… 영혼이 돌아가주지 않아…!!
삭
삭

앗!!

홱

꺄아아
아아~!!
무, 무, 무슨
짓이야!
대체
무슨 짓
이냐고~!!

모라, 노는
시간은
끝났어.
빨리
신발이나
신어!!

뭐야,
대체 네가
뭔데!!
어디서
잘난 척
이야!!

여왕 같은
소리 하네!!

네가
자기 입으로
그렇게
말하는 것
뿐이잖아!!
어디서
굴러왔는지도
모를 개뼈다귀
주제에!!

이제까지 다들
네 거짓말에
맞춰주면서
여왕 놀이를
했을 뿐인데…
어딜
우쭐해서
기어오르고
있어…!!

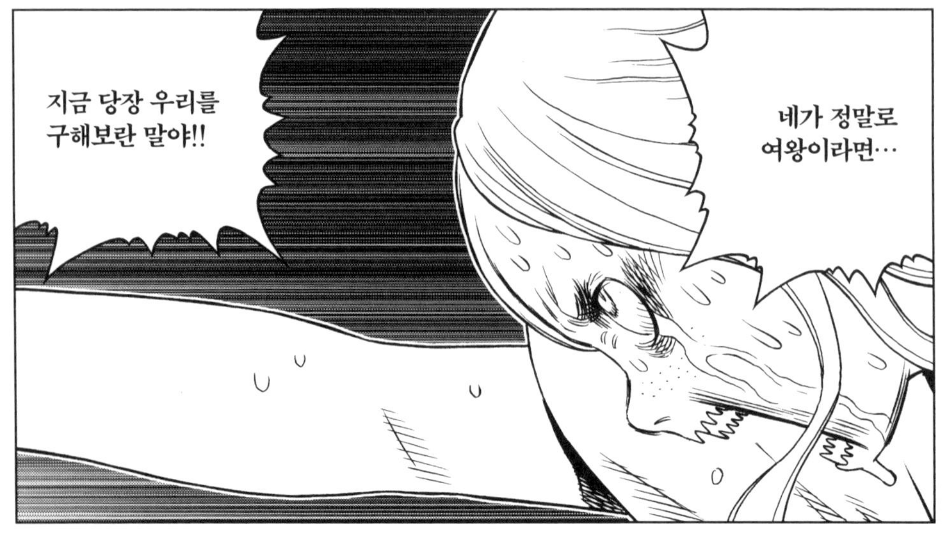
네가 정말로
여왕이라면…
지금 당장 우리를
구해보란 말야!!

호령 한마디로
군대를
멈춰보라고!!

쏴아 아 아아
끙차.
끙차.

벌러덩
콰아아아아

쏴아아!!

끼이익
니논 님! 문이 열려요!
요코가 성공했나 봐!!

기분이 풀렸니, 모라?
자, 같이 가자.
찰싹
난 여기서 절대로 안 나가.
여기에 있으면 안…
깡
…전…
데구르르

수류탄
이야!!
니논!
서둘러!!

콰아앙

모라…!!
나논, 빨리 도망쳐야 해!!

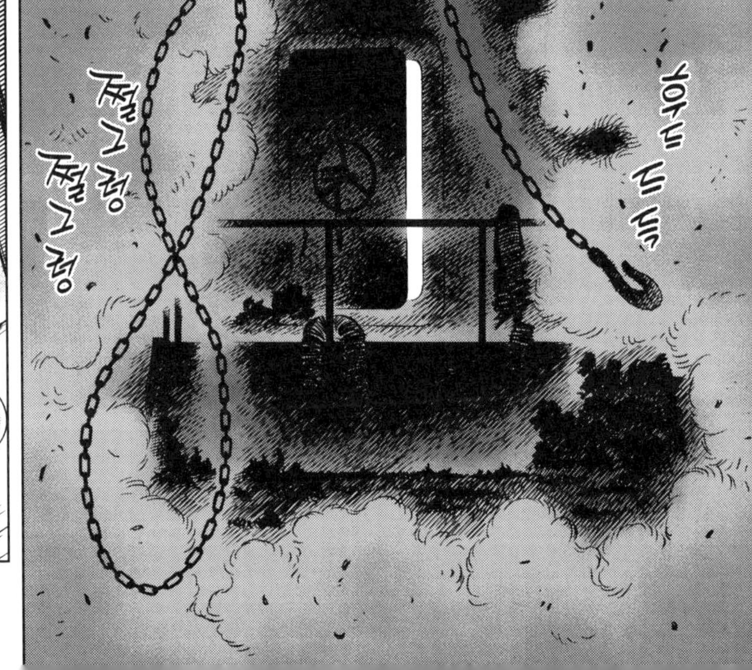
후드드득
쩔그렁 쩔그렁

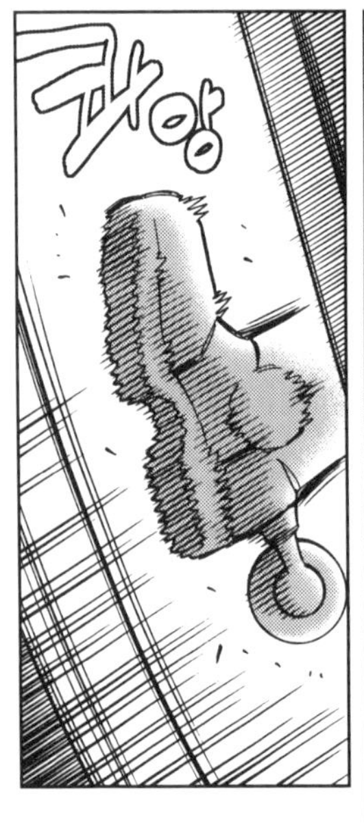
콰앙

LOG:004
탈출

하아.
하아.
찰박 찰박 찰박

빨리
수문을
열어!!
잘했어,
요코!!
철벅
철벅

군인들이
코앞까지
와 있어!!
빨리…
열라니까!!

오싹
어서 잡…

레나!
철퍼덕
꺄아아!

쑥
어…
어…?!
울컥
부웅

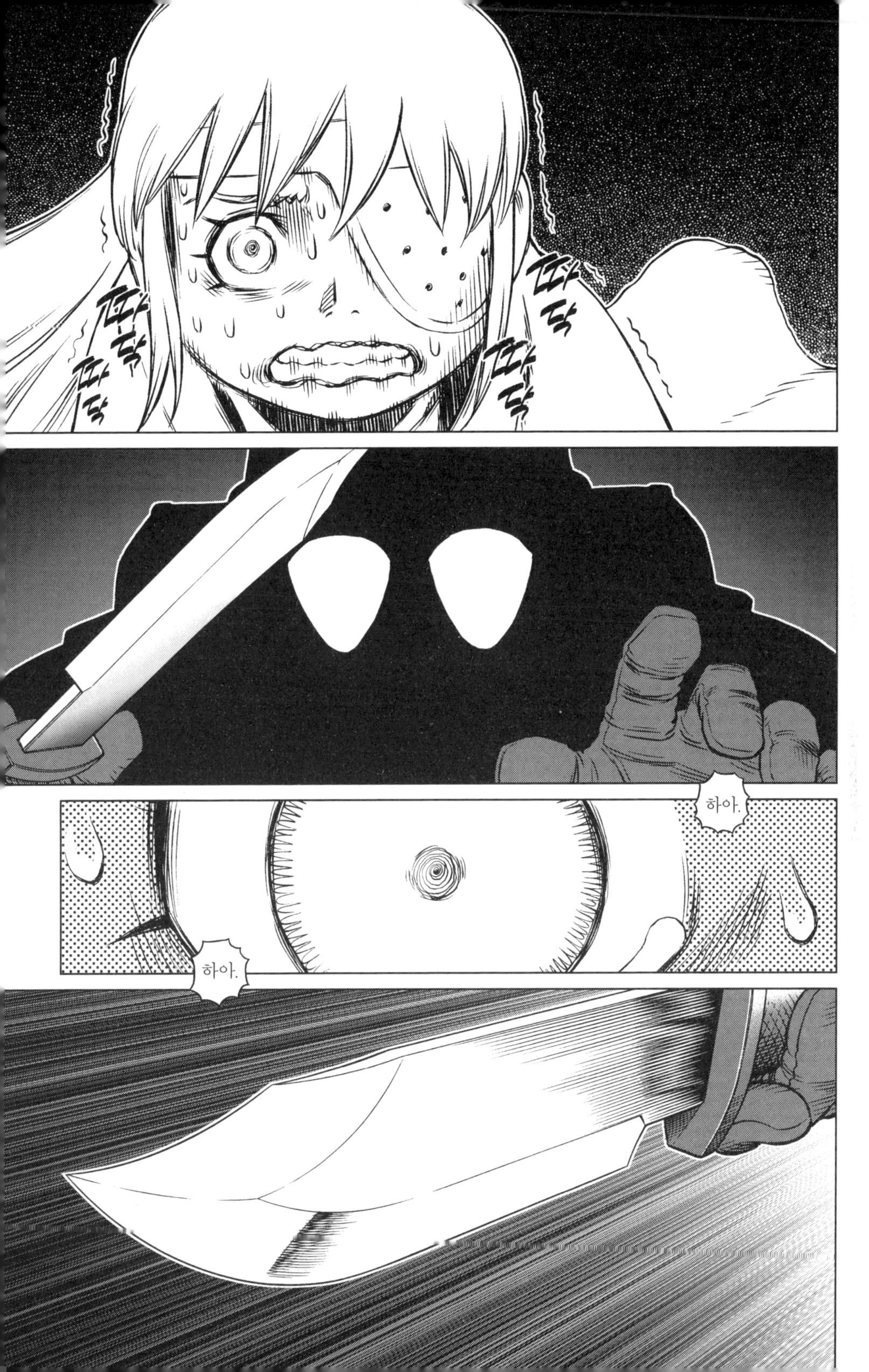
따닥
따닥
따닥
따닥
하아.
하아.

으아아아아아!!!

철퍼덕
에리카!!
버둥
버둥

왱 왱
왱 왱

쿠르르르

쏴아아아
척

콰
콰다당

촤아
아아
하아.
하아.
하아.

요코!

자, 서둘러
비상계단으로
가자!
저쪽으로 가면
낭떠러지로
탈출할 수 있어!!

길이
나뉘는데.
이쪽?

그쪽은
앞쪽으로
나가는
통로야.
이쪽으로
가자!

휘이이이이잉

흐와이이잉
흐와이잉
이럴 수가…
요코!!
빠각

구구구

고오 오오오오

그렇게 죽는 걸 무서워했는데…
꼭 걸레짝 처럼…!
레나가 불쌍해…

이젠 어디로도 도망칠 곳이 없어…
고오오오

겨우 친구가 됐다고 생각했는데…
에리카…

에리카…
요코…
너희는 내가
여왕이 될
운명이라고 믿니?

응…
믿어…!!

둘 다
착한 아이
구나…
정말로
착해.

너희는
절대로
죽게 하지
않겠어.

가지 마, 니논!!

숨어 있으렴.
군대는 내가 멈출게.

저 깃발은 본 기억이 있어…
플라마리온의 세 병단 중 하나인 파파가이병단.
2년 전… 아버님 휘하의 3개 병단 중에 2개 병단이 모반을 일으켜 우리 가족은 뿔뿔이 흩어졌어.
그때도 충의를 지켜 아버님을 위해 싸워준 곳이 바로 파파가이병단이야.

그 충성스러운
부대가
어째서 이런
악독한 짓을…
모르겠어…
하지만 나한테는
그들을 멈추게 할
의무가 있어.
나는
플라마리온공
질버의 장녀인
니논 질버!
전투를
멈추세요!!

끼기이익...

척

카아앙

나는 님의
처척

명에
따르겠습니다!!

니논~!!
아버님! 어머님!!

보고 싶었어요…
전부 네 덕분이야.

저걸 보렴. 네 명령을 듣고 모든 병사가 무기를 버리고 있단다.
화성에서 전쟁은 사라졌어!!

니는 님
만세!!
화성의
새 여왕님
만세!!

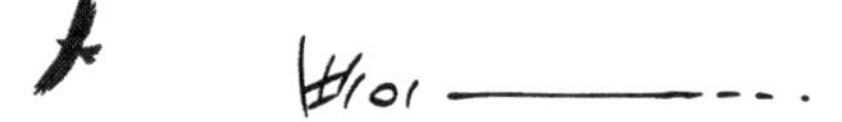
삐이———···

니논 님~

얘들아···
다들 죽은 거 아니었어···?

악몽이라도 꾸셨나 보네요.
저쪽에 예쁜 꽃밭이 있어!

왜 그래?

누가
우는 소리가
들리지
않았니?
글쎄?

가자,
니논!!

삐요오오...

LOG:005
난민가도

240
W
이거 아주
철저하게
쓸어버리셨구먼…
지---잉
35
30
25
20
멀쩡하게 남은 건
펌프장
정도인가.
하하핫!

가볼까.
전투는
끝난 모양인데.

파슈웅

덜컥
CAUTION

퍼 퍼 펑

네놈은 뭐냐?!
자, 잠깐 마안!!

슈우 우 우

슈오오오…

젠장,
늦어버렸네
~…

효소분해
해버리면
뼈도 안 남는단
말야…
이래서야
DNA 채취도
무리겠는데…

이번에는
표적이 죽었다는
증거를 가져가지
않으면 돈이
안 된다고!!
로코,
이 멍청아!
벌써
까먹었냐!
아… 그…
그랬지.

고생해서
죽일 필요가
없어졌으니
좋잖아!!
하… 하지만
좋은 비료가
되겠어, 키힛.

그렇게
보이나?!
브륵드덕

너흰 누구냐!!
저널리스트냐?!

잘그락
흠.

그게
말입니다요…
저희는
이 마을에서
사람을 찾고
있습니다만.
끄응…
혹시 시체
명부가 있다면
좀 봐도
되겠습니까요?

그럼 특별히
알려주지.

그딴 건
없다!!
마을 주민은
전부 죽었다!!
빈데병단이
저지른
짓이지!!
우리 파파가이
병단은 이 만행에
반드시 보복하고
말겠어!!

볼일이 끝났으면
어서
돌아가도록!!
이상.

……
……

썩어빠진
자식!!
사람 간보면서
배터리만
뜯어내고!!

오?
오오?!
하지만 다스,
목표가 있는 장소를
네가 잘못 파악한
덕분에 우리는
불필요한 전투를
피할 수 있었어.
아주 운이
없다고
말할 수는
없지.

누군가가
우리를
방해한 게
분명해.
진지하게
말하자면…
네트워크상의
DB가 수정된
흔적이
있더라고.

길라틴 형씨~
의외로 사람
좋은데?!
내 실수를
감싸주는
거야?!
이런
부끄럼쟁이~
누굴
부끄럼쟁이
라는 거야?!

뼈빠지게
고생만 하고
끝났군…
뭐, 하지만…
이제 와선
다 상관없는
일인가.
표적의
행방불명…
임무수행은
불가능…

삐로로

헬로… 마침
연락하려던
참이야.
아쉽지만…
…엥?!
뭐라고?!
아니,
그럴 리가…

자… 잠깐
기다려줘.
지금…
확인해볼게!!

PRESSE
파파가이 프레세(언론)
PAPAGEI
PRESSE

금일 오전,
마미아나 거리가
갑작스러운
빈데병단의
습격으로
괴멸되었습니다.
악독한 빈데병단은
저항도 하지 않는
주민들을 학살한 후에
남서방면으로
도주한 것으로
추정됩니다.

단 두 명,
살아남은 여아를
우리 파파가이
병단이 보호했습니다.
역적에게 죽음을!
파파가이에
영광 있으라!!

살아
있잖아
…!!
목숨이
대체 몇 개인
거야…!!

마미아나에서 북서쪽으로 약 40km
토로흐킨가도

WINDE TOR 15KM
(CYDONIA WAND)
CURIE STADT 310KM

부오오...

벌떡
꼬르륵
배고파~…
잘 잤니?
차를 세우고
점심 먹자꾸나.

* 베마이트(Bemite) : 맥주 양조과정에서 만들어지는 효모를 주원료로 하는 페이스트 식품. 짠맛이 강하고 독특한 냄새가 난다. 영국, 호주, 뉴질랜드 등에서는 '마마이트' '베지마이트' 등의 상표로 판매되고 있다.

독토어~
우리 마미아나로 간다고 했지? 어떤 곳이야?
뭐? ……
친구가 생기면 좋겠다아~
아, 맞다! 요코 좀 봐줘!
저 아이는 제대로 걸을 수…
어라? 요코, 어느새 걸을 수 있게 됐네?
?
마미아나에서 겪은 일이 통째로 기억나지 않는 걸까…
충분히 그럴 만해… 오히려 그편이 이 아이들 에게는 좋을지도…

가슴속에
품기엔 너무나
끔찍한
지옥이었으니까.

몇 시간
…
몇 시간만
더 일찍
왔다면!
적어도
아이들은
구할 수
있었을 텐데…
내가 어제
술만 조금 덜
마셨더라면…!!
미안하다,
정말
미안해…!!

왜 그래? 독토어?
슬픈 일이라도 있었어?

아니… 아무것도 아니란다.

마미아나에는 가지 않을 생각이야.
조금 멀지만 시도니아령 퀴리 슈타트로 간다.

부르릉
거기서 네 가족을 찾자꾸나, 에리카.

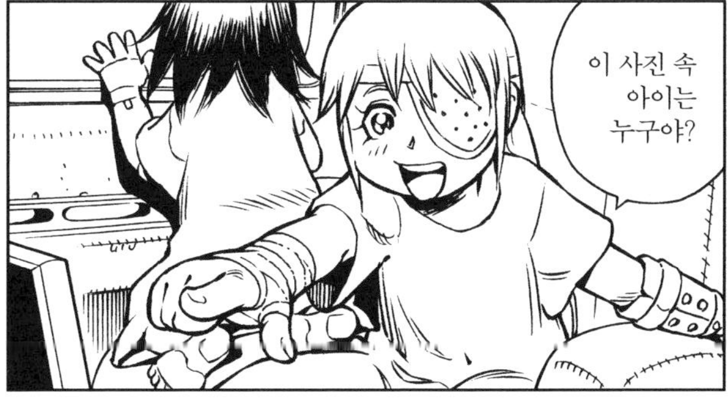
이 사진 속 아이는 누구야?

내 딸이야.

딸은 네 나이 즈음에 병으로 죽었지.
나는 그때 일만 하느라 곁에 있어주지 못했단다.
지금도 그 일을 후회하고 있지.
그러니 너희만이라도 꼭 데려다주마.
안심하고 살아갈 수 있는 사람 곁으로… 반드시…!!

부오오오오

이 사람들은
다들 전쟁을 피해
시도니아령으로
피난하는 중이지.

고오오오…
독토어,
저건 뭐야?

조일레(기둥)야.
SÄULE

우와아!
엄청 크다아!!

멀리서
본 적은
있지만
이렇게
클 줄은
몰랐어!!
문자 그대로
화성 발다힌(天蓋)을 지탱하는 거대한 조일레지.
BALDACHIN·천개
원래 화성은 대기가 너무 희박해서 사람이 살 수 없지만 발다힌 덕분에 우리가 생활할 수 있게 되었단다.
슬슬 시도니아령과의 국경 반트가 보이겠구나.

번쩍
뭐지…?
하늘에서
폭발이…?

창문이 새하얘 졌잖아?!
성에가 낀 게야!!
기압이 급격하게 저하…
이건 설마!

HIMMEL BRUCH
히멜 브루흐
(천개 파열)?!

과아아아

LOG:006

천개(天蓋)의 사명

오
안전벨트를
단단히
매렴!!

LOG:006
천개(天蓋)의 사명
고오오

하늘이 부서지면
어떻게 돼?!

고여 있던
공기가 단숨에
빠져나가서
화성의 원래
대기압인…
0.007기압까지
내려가버리지.

기온도
순식간에
영하 수십 도까지
떨어지고 수분도
얼어붙어서
사람도 동물도
초목도 살 수
없는 환경이
되어버리는 게야…

다들
죽는 거야?!

이 밴은
기밀차량이니까
괜찮아.
쿠오옹

천개(天蓋)는 반트로
나뉘어 있으니
화성 전체의 공기가
한 번에 빠져나갈
걱정은 없어…
콰오오오

파앙
읏, 귀가…!!
어떻게
해서든
시도니아령의
반트…
WINDE TOR
빈데 토아
(나팔꽃문)까지만
가면…
살 수 있어!

고오옷

바람이
그쳤어…
기압이
다 떨어졌나.

독토어,
귀가 아파.

기압 변화
때문에
항공성
중이염이
생겼구나.
침을
삼키면
나아질
게다.

와지끈
?!

와지지직
우와아앗?!
하늘이 떨어지고 있어!!
밑에서 받쳐주던 기압이 사라져서 천개가 떨어지는 건가!
저기에 휘말리면 정말로 끝장이야!!

우지끈

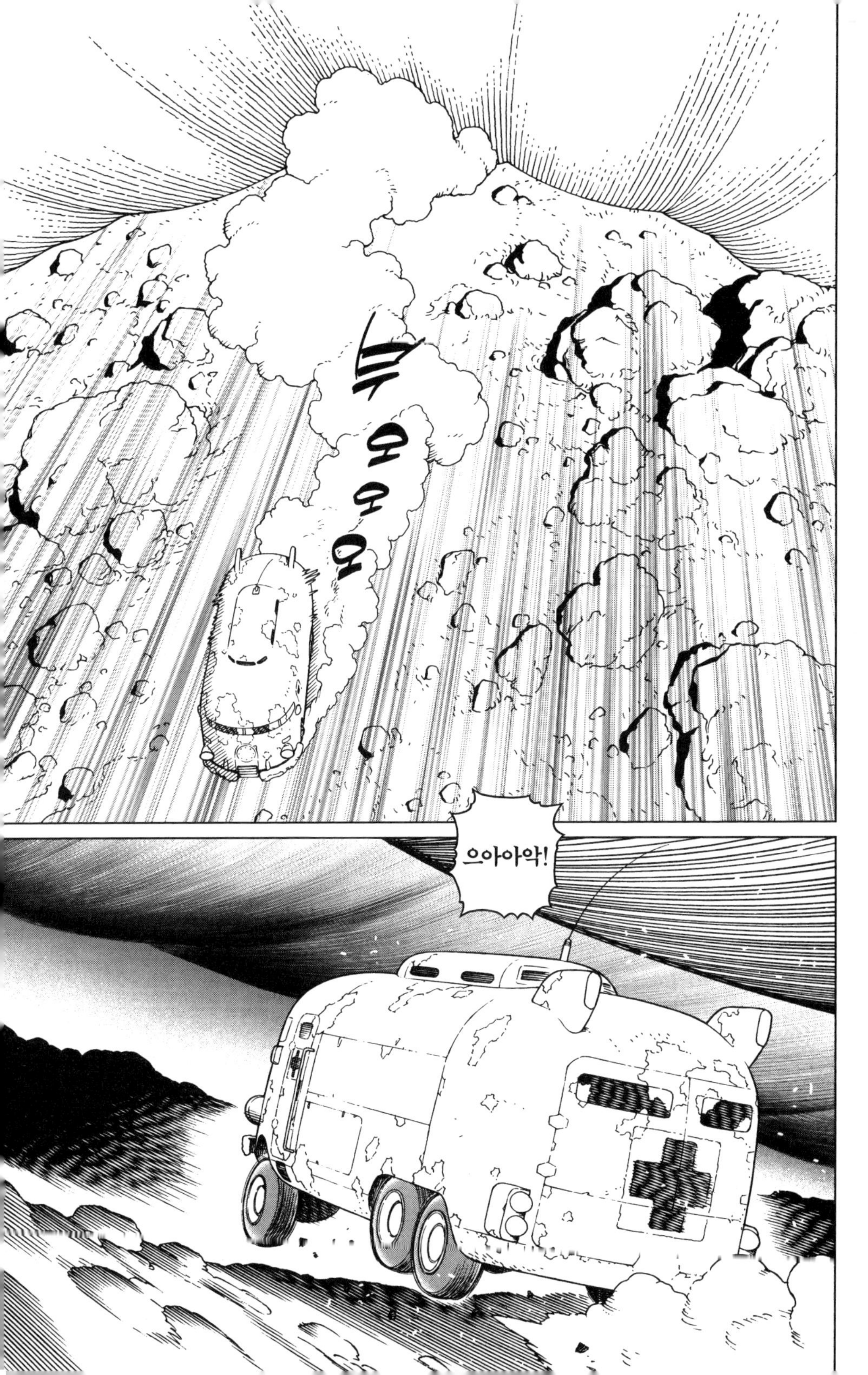

느오오오
으아아악!

이젠
틀렸어!
우와앗!
쿠구…

우린
괜찮은
거야?
일단 깔려죽는
신세는 면한
모양이구나…
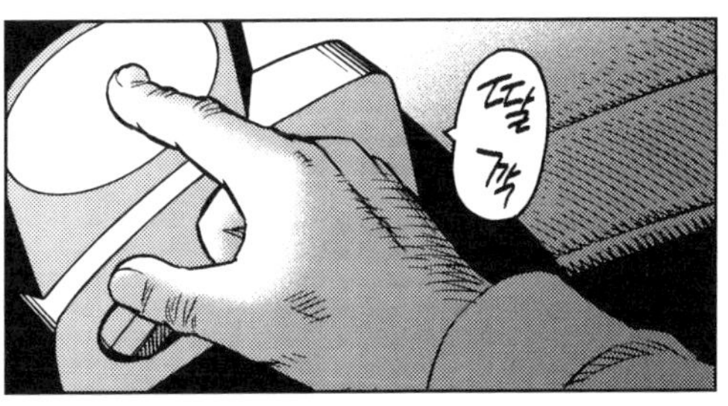
딸
깍

나…
혹 생겼어
…
둘 다
무사하니
…?

베마이트빵
지인짜
맛없다~
전기나
기밀성에는
문제가 없어.
일단 오늘은
자고 내일
바깥 상황을
조사해보자.

우리는
상당히 운이
좋았던
모양이야…

푸슈우

바위산이
막아준 덕에
목숨을
건졌구나.
하지만 이렇게
사방이
가로막혀서야…

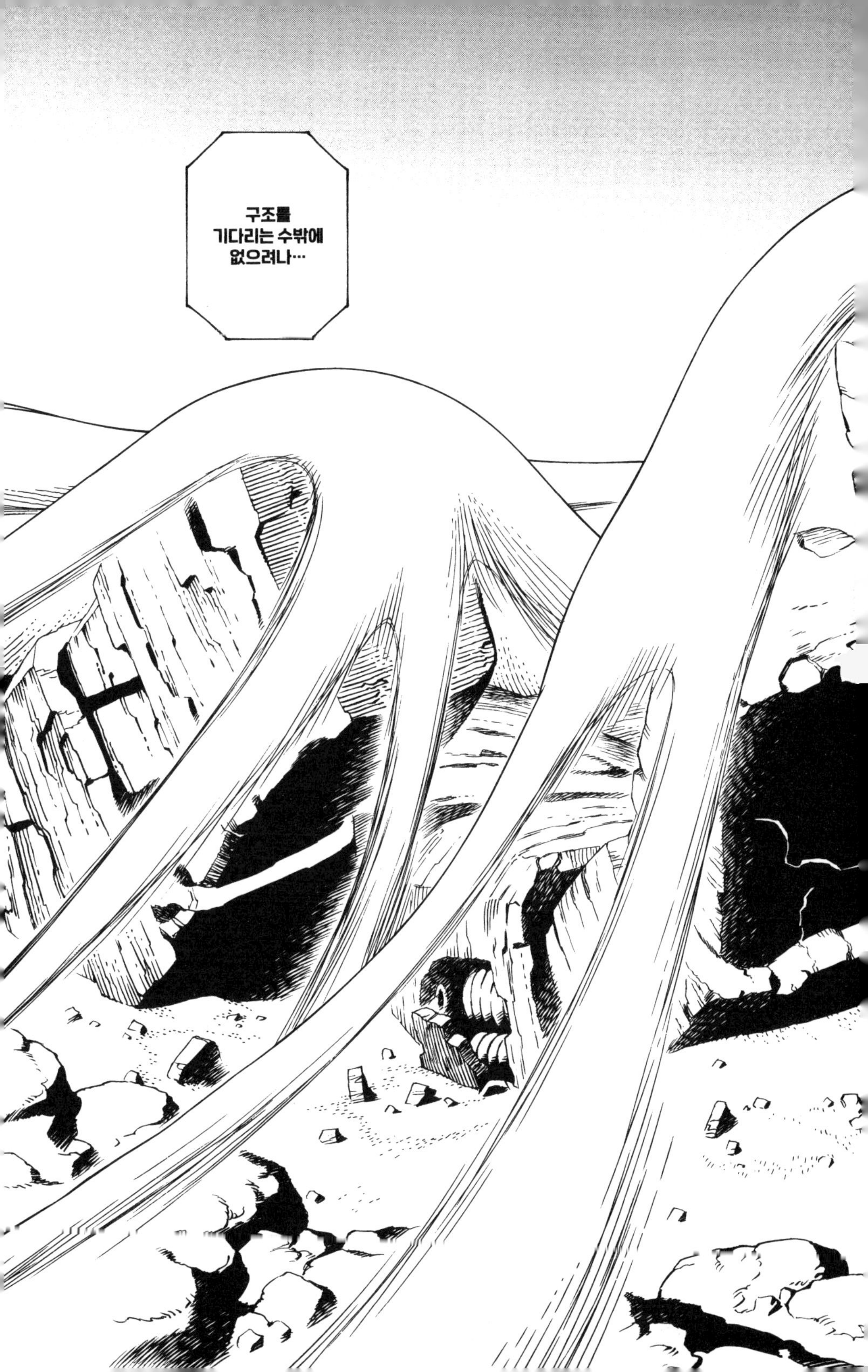
구조를
기다리는 수밖에
없으려나…

쿠왕

구조대
인가?

어라…
뭐지?
독토어!
뭔가가
있어!!

?!
우웅
우웅

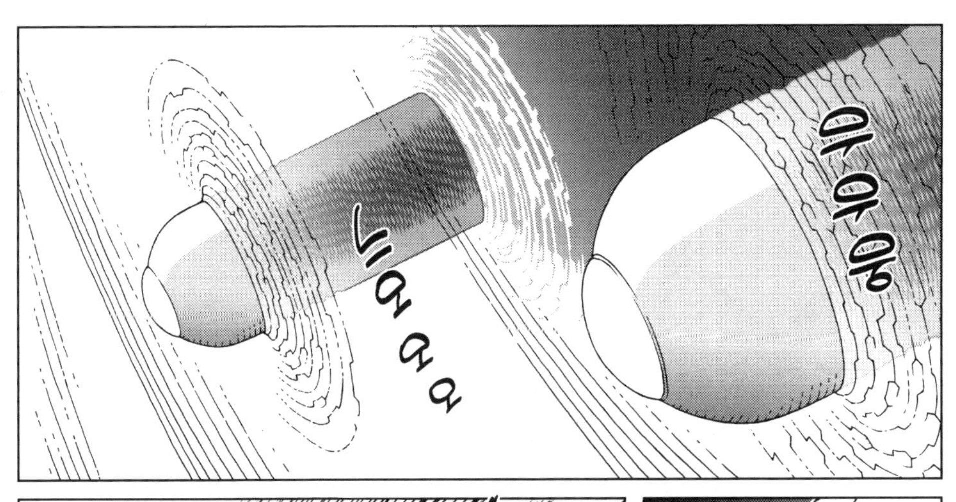
우우웅
느으으으

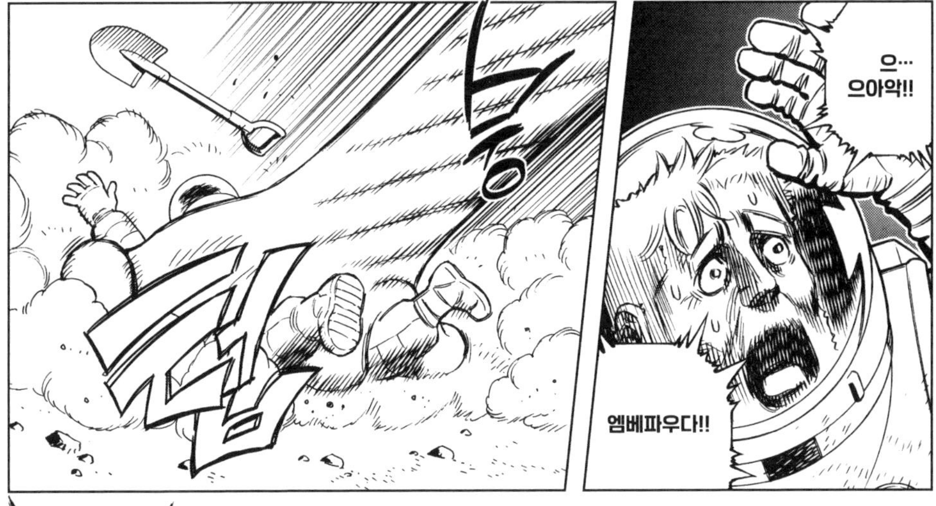
으…
으아악!!
엠베파우다!!

독토어!!

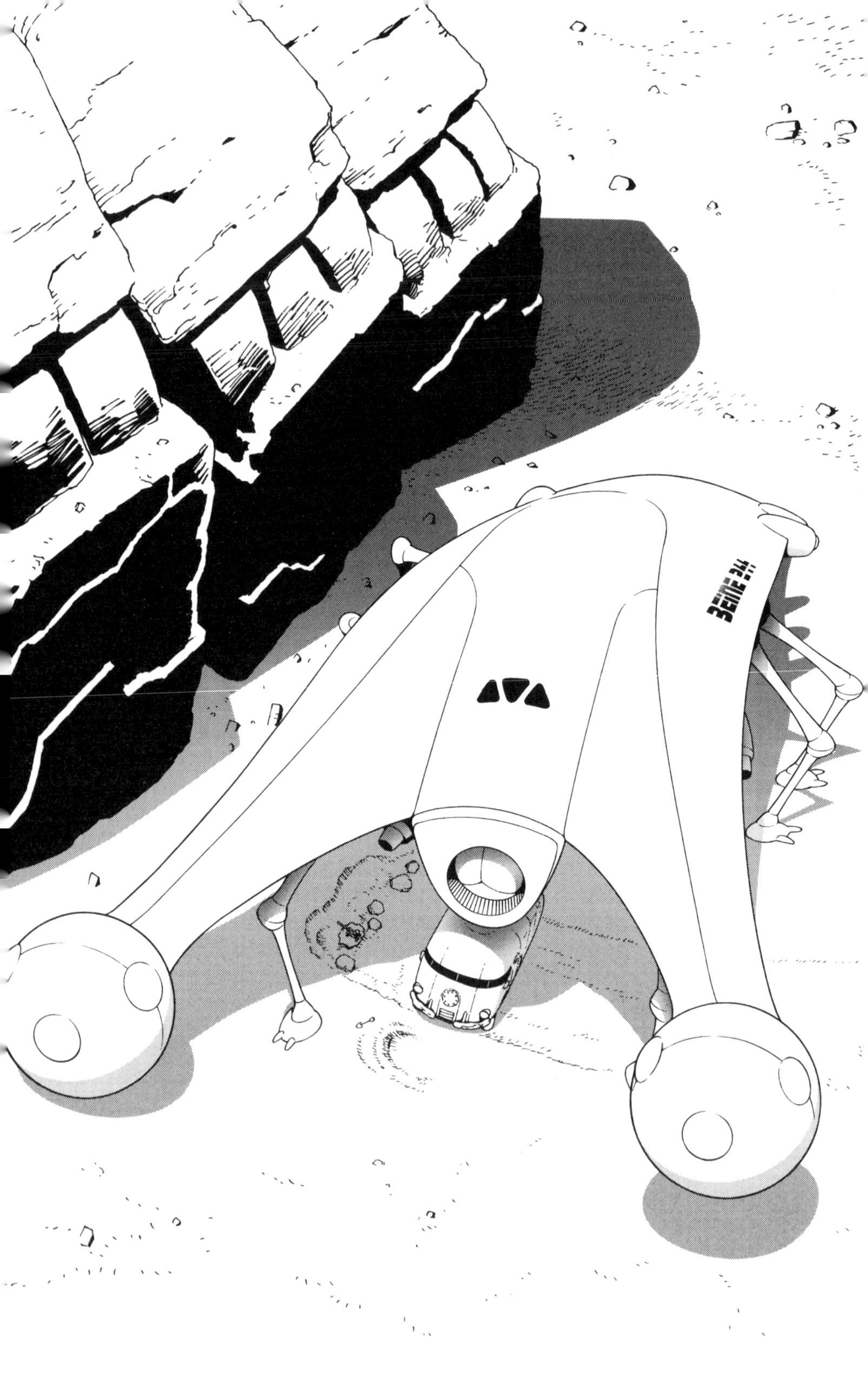

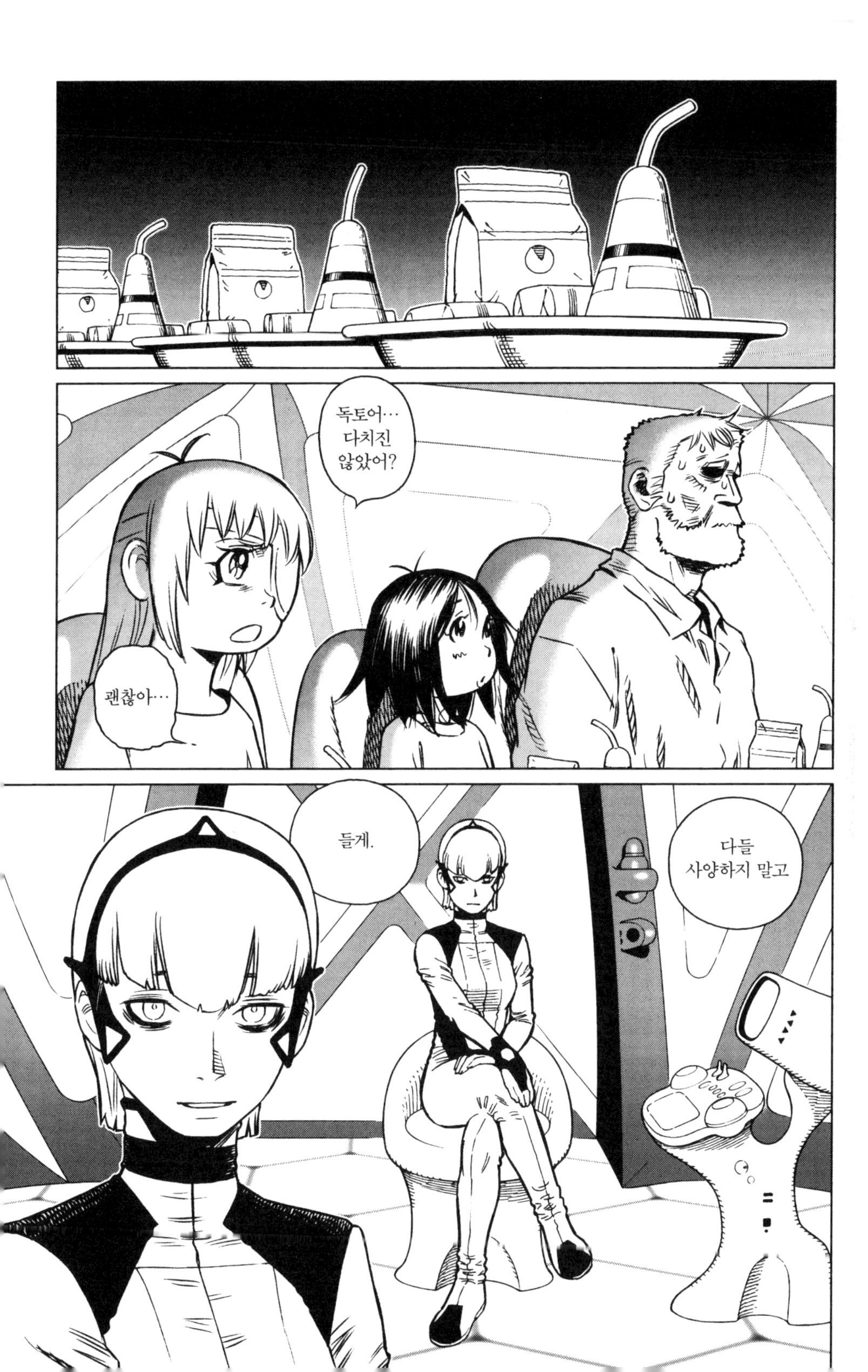
독토어…
다치진
않았어?
괜찮아…
다들
사양하지 말고
들게.

베마이트보다
훨씬 맛있어!
달아!

이건…
어떻게
먹지?

그건…
그…

자네는 어째서
아까 도망치려
했지?

호오…
엠베파우는
사람을
납치한다고…
들어서…

이 사람
이름?
엠베파우가
뭐야?

* 천개협회(天蓋協會) : Mars Baldachin Verein
** 천개불가침조약 : es.253에 천개협회와 화성대왕 엘프리드가 맺은 조약.

하지만 우리는 인간의 탐욕을 너무 쉽게 생각했네…
대왕이 죽은 후에 등장한 18대공은 하나같이 어리석었지만 그래도 조약은 지켰지.
분쟁은 사라지지 않았어…
헌데… 요즘 들어 날뛰는 군벌들에게는 명예도 긍지도 없는 모양이야…

설마… 아까의 천개파열은…
운석이 아니라… 군인들이 한 짓…?!

그건 분명히 인위적인 파괴공작 이었네.

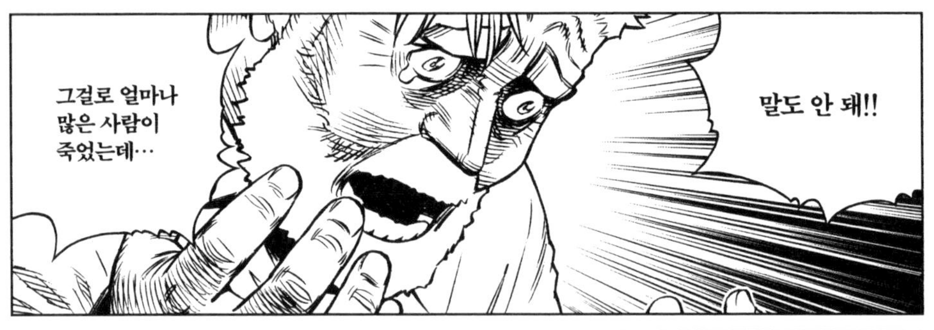
말도 안 돼!!
그걸로 얼마나 많은 사람이 죽었는데…

작은 운석 정도로는 천개파열이 발생하지 않아.
패한 군이 물러가면서 실시한 초토화 작전의 일종일 테지.

미쳤어, 미쳤다고… 으으으.
울지 마.

확실히 말해두겠는데,
나는 자네들을 동정하여 구한 게 아닐세.

자네들은 이제까지 천개 속에서 여기가 마치 지구인 양 안락한 생활을 누려왔을 게야.
천개가 크게 손상된 지금… 자네들에게도 천개 재건에 협력할 의무가 있다고 생각하지 않나?

무… 물론 협력은 아끼지 않겠지만…
뭘 하라는 겐가…?

나는 할말을 숨기는 건 질색이니… 솔직히 말하겠네.

자네들 중 하나의 생명이 필요해!!

뭣.
덜컥

크으…
의자가…!!
콰아아악

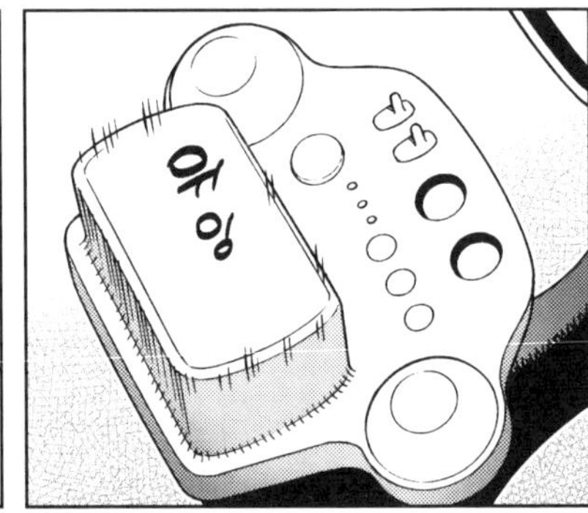
위잉

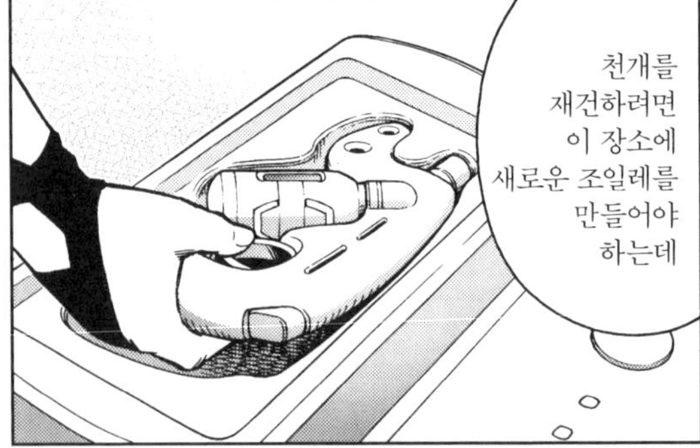
천개를
재건하려면
이 장소에
새로운 조일레를
만들어야
하는데

그러려면
살아있는 인간의
육체가
필요하거든.
SAAT
이 '자트(씨앗)'의
못자리가 되어
문자 그대로
인간기둥이
되어줄 자가!!

그래… 조일레 하나하나가 그런 희생으로 만들어졌지.
내 많은 자매들도 기꺼이 인간기둥이 되었네…
이… 인간기둥…?! 그럼 조일레는 전부 인간을 써서…?!

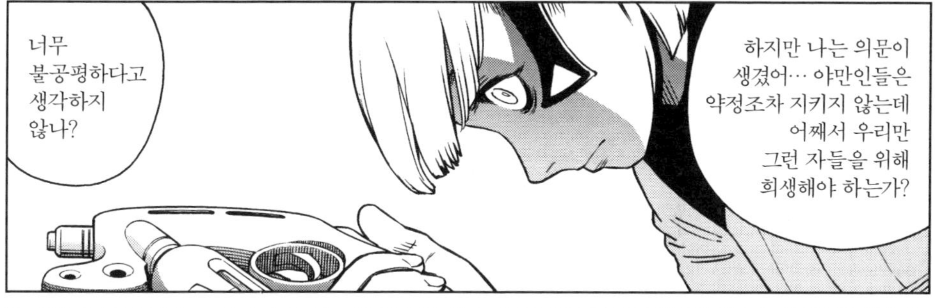
하지만 나는 의문이 생겼어… 야만인들은 약정조차 지키지 않는데 어째서 우리만 그런 자들을 위해 희생해야 하는가?
너무 불공평하다고 생각하지 않나?

부… 부탁이야, 사례라면 할 테니… 우리를 놓아주게!!

사례…? 자네들의 유사통화인 배터리는 우리에게 아무 가치가 없어.
전력은 전부 자력으로 조달하고 있으니까.

그럼 누구로 할까.

* 텔로미어(Telomere) : 세포의 염색체 말단부가 풀어지지 않도록 보호하는 단백질 성분의 핵산 서열을 지칭하며, 세포가 한 번 분열할 때마다 그 길이가 짧아져, 그에 따라 세포는 점차 노화되어 죽게 된다.

하지만
조건이 있어.

좋아, 네 말대로
해도 괜찮아.

난 자네와
대화하는 게
아닐세!
으읍!

그만둬!
아이들에게는
손을 대지…

말해보게.

요코랑 함께라면
조일레가
되어도 좋아.

요코… 영원히
함께 있자.
에리카…

응.
나는 쭉
에리카 곁에
있을 거야!

좋아.
그렇게
배려하겠네.

대신에
독토어는
놔줘.
약속하지.

안녕,
독토어.
이제까지
고마웠어.

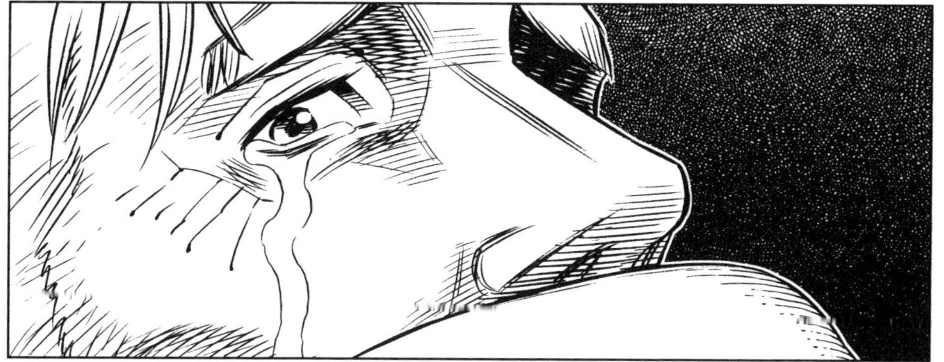

우웅
바이네244
게르트너
무이.

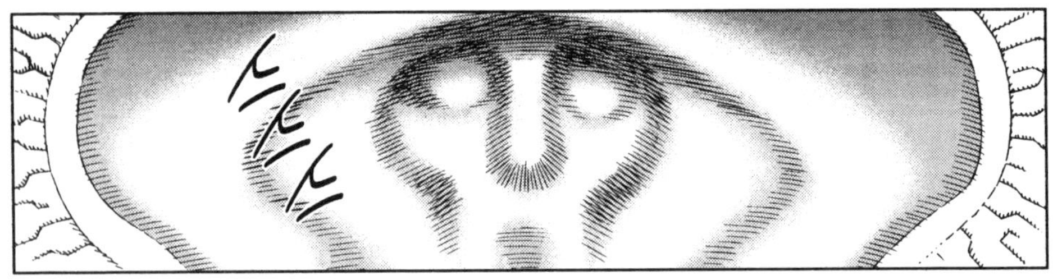
스스스

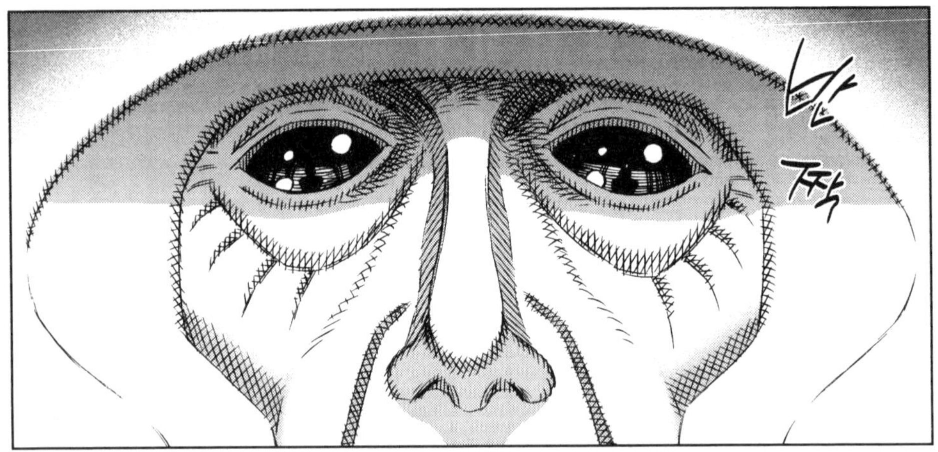
번쩍

PRIESTERIN
프리스테린
(대무녀)
네프.
무슨
용건이십니까.

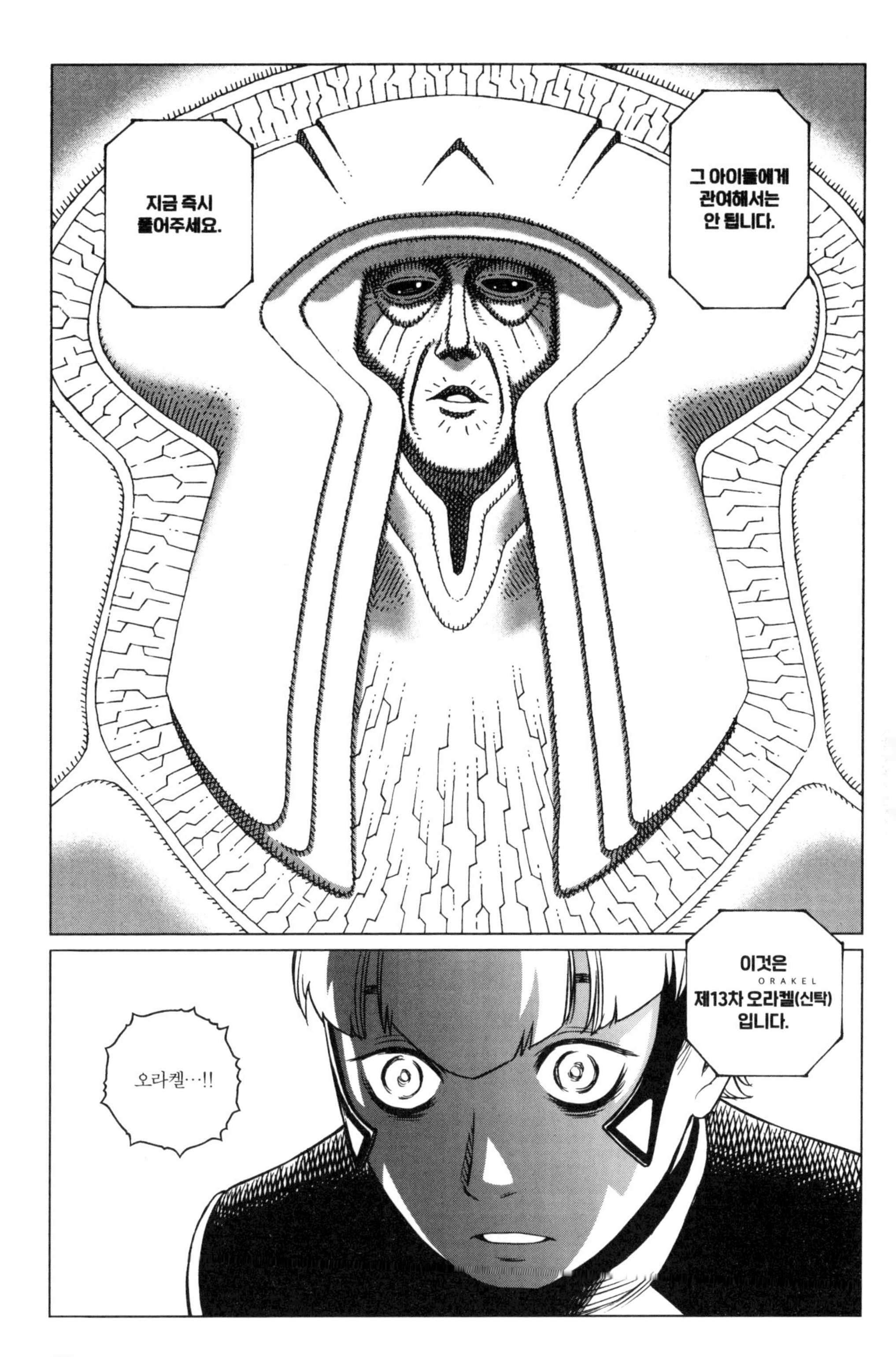
그 아이들에게
관여해서는
안 됩니다.
지금 즉시
물어주세요.
이것은
ORAKEL
제13차 오라켈(신탁)
입니다.
오라켈…!!

부오오오
조일레 네트워크는
QUANTUMANCY
퀀터맨시(양자점술)를 통하여
'전이(轉移)의 상'을 가진
아이의 출연을 예언했습니다.
저 아이들 중
어느 쪽인지…
아니면 양쪽 다인지…
자신의 숙명에
지지 않는다면…
그게
저 아이들
이라고요…?

저 아이들은 사는 동안 몇 번이나 지독한 고난을 겪게 되겠지요.
그러고도 살아남을 수 있다면… 어쩌면… 세상을…
□ 다음 권으로 이어집니다.

옮긴이 주원일

일본어 번역가. 초등학생 시절 우연히 게임 잡지를 접하며 일본 서브컬처의 매력에 빠지게 되어, 현재는 만화와 소설, 게임 등 다양한 매체의 번역에 매진하고 있다.
주요 번역작으로 『피코피코 소년』 『소녀불충분』 『나는 친구가 적다』 『에도산책』 『중쇄를 찍자!』 『총몽 완전판』 등이 있다.

총몽 화성전기 1

초판 인쇄 2020년 10월 14일
초판 발행 2020년 10월 21일

만화 기시로 유키토
옮긴이 주원일

펴낸이 염현숙
책임편집 천강원
편집 김지애 이보은 김해인 | 디자인 신선아
마케팅 정민호 정진아 함유지 김혜연 김수현
홍보 김희숙 김상만 지문희 김현지 | 제작 강신은 김동욱 임현식

펴낸곳 ㈜문학동네
출판등록 1993년 10월 22일 제406-2003-000045호
주소 10881 경기도 파주시 회동길 210
전자우편 comics@munhak.com
대표전화 031-955-8888 | 팩스 031-955-8855
문의전화 031-955-8862(마케팅) | 031-955-8893(편집)

ISBN 978-89-546-7422-5 07830
978-89-546-7421-8 (세트)

카페 cafe.naver.com/mundongcomics
페이스북 facebook.com/mundongcomics
트위터 @mundongcomics
인스타그램 @mundongcomics
북클럽 bookclubmunhak.com

www.munhak.com

* 잘못된 책은 구입한 서점에서 교환해드립니다.
기타 교환 문의 031-955-2661 | 031-955-3580